yo crecí aquí

anne crausaz

petra ediciones

es aquí donde yo crecí,
es una casualidad.

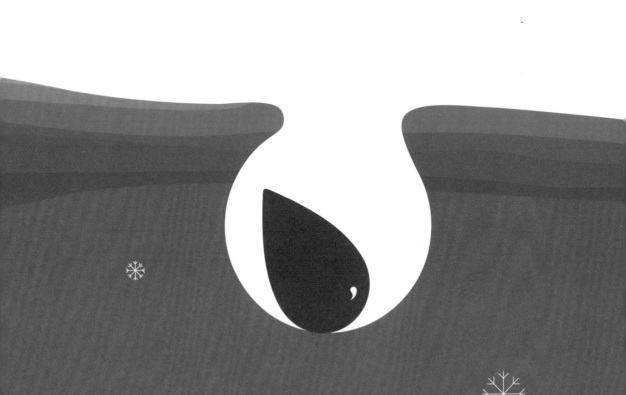

el otoño me cubrió

y me protegió del invierno.
me quedé dormida.

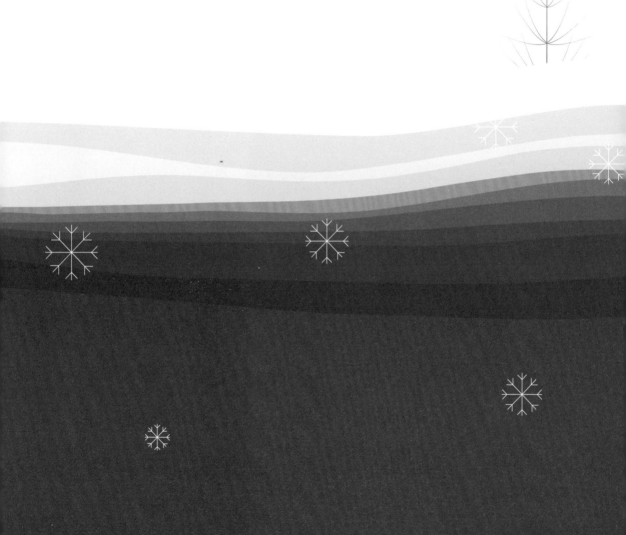

dormí tanto tiempo
que las hojas se volvieron tierra.

entonces la primavera me despertó...

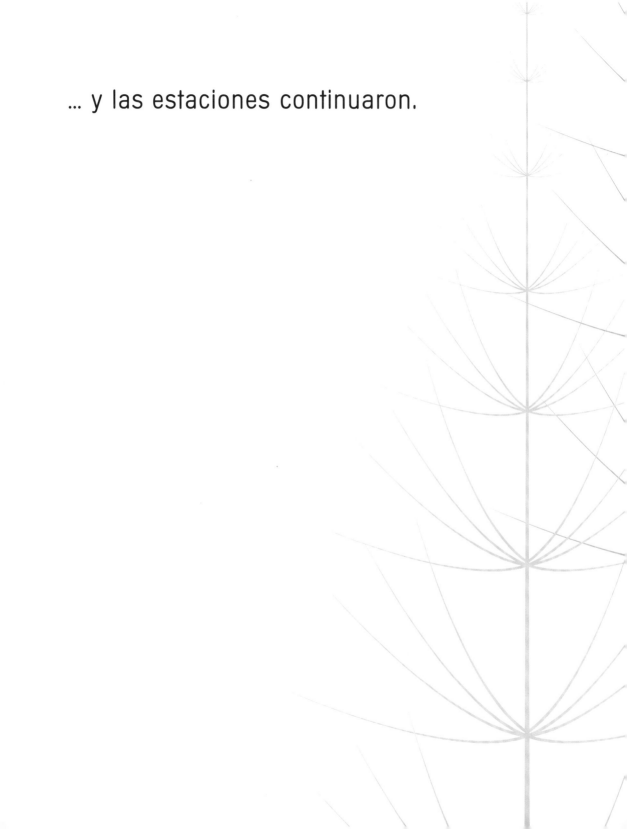

… y las estaciones continuaron.

me despojé de mi caparazón
y sentí el placer
de las primeras gotas de lluvia.

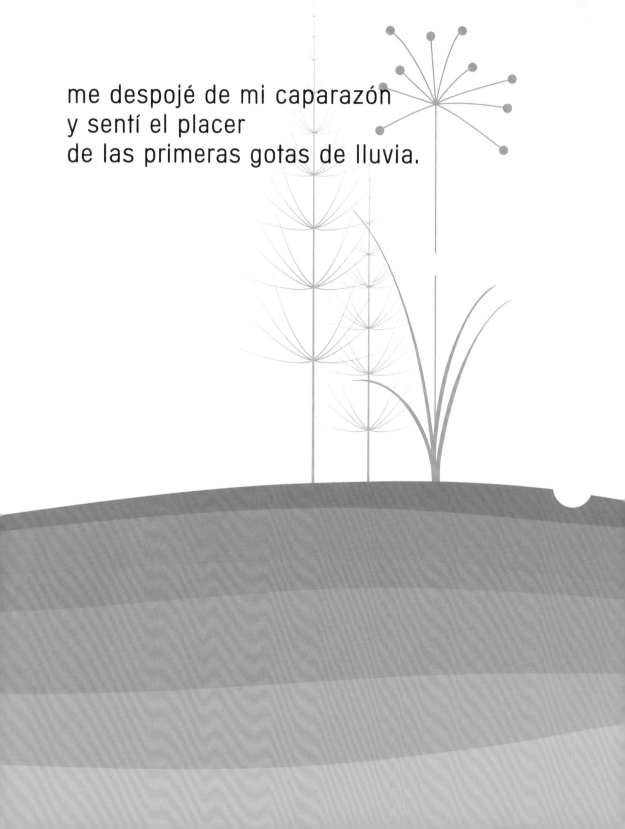

un día, estalló la tormenta,

el viento sopló…

y la lluvia todo inundó…

...pero la vida continuó.

raymundo llegó... hambriento.

afortunadamente el señor ciervo pasó
distraído... (creo que está enamorado)

me dieron un empujón,

y las catarinas vinieron a salvarme
justo a tiempo de los pulgones,

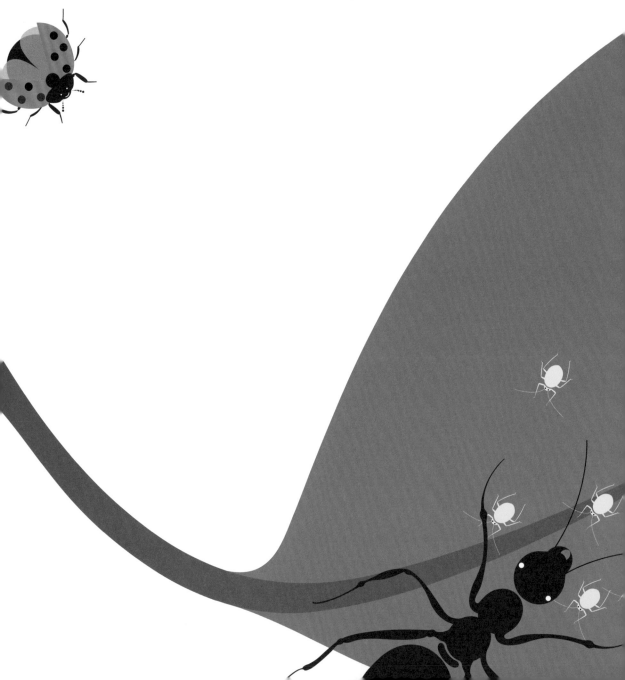

pero los cuervos cavaron, desenterraron,
se comieron a mis amigas las lombrices,

la oca castaña,
¡justo me acogió!

primavera, verano, otoño, invierno…
un pájaro carpintero se posó.

después los camiones llegaron,
se marcharon...

y los pájaros regresaron.

aquí es donde crecí
y me convertí en lo que soy.

y la vida volvió a empezar.